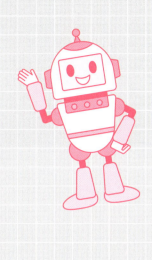
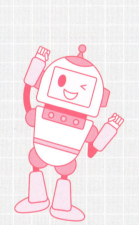
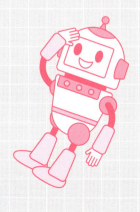

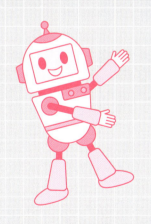
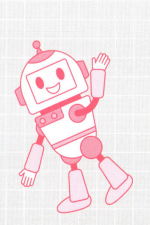

はたらくロボットずかん ５

病院ではたらくロボット

監修 平沢岳人
（千葉大学大学院工学研究院教授）

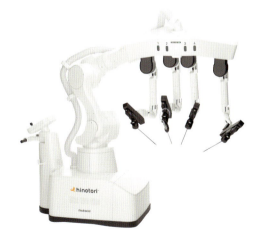

小峰書店

はじめに

人間とロボットで、いのちをまもる

　3巻で、産業用ロボットとサービスロボットについてのせつめいをしました。この本の主役は、工場ではない場所で人間をたすける、サービスロボットです。そして、サービスロボットが利用されるのを、いちばんのぞんでいるのが、病院ではたらく人たちかもしれません。

　病院のしごとは、人のいのちがかかっているため、ミスがゆるされません。だから、病院ではみんなで手分けをして、ミスをおこさないしくみをつくり、協力してはたらいています。こうした病院のしごとの中にも、ロボットがとくいな作業があり、たすけてもらえることが多くあります。この先の未来では、人間とロボットが力を合わせて、いのちをまもっていくことが当たり前になっているはずです。

　このシリーズでは、今、かつやくしているロボットや、これからかつやくしそうなロボットをしょうかいします。この本では、おもに病院ではたらくロボットたちを見ていきます。

　この本を読み終えたみなさんは、大人が考えもしなかった「病院ではたらくロボット」を思いつくかもしれません。そんなふうに、みなさんがロボットに少しでも興味をもつきっかけに、この本がなれたのなら、とてもうれしく思います。

平沢岳人
(千葉大学大学院工学研究院教授)

この本の見方

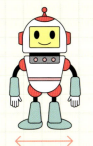

ロボットの名前や大きさがわかります。

高さ
はば

奥行き

「奥行き」は、ロボットのしゅるいや形によって、「長さ」にかわる場合があります。

どのようなときに、人間の手だすけをしてくれるロボットなのかがくわしく書かれています。

どうして、このロボットがつくられたかが書かれています。

ロボットがつくられる、きっかけとなった、人間の「こまりごと」がわかります。

このロボットがあれば、わたしたち人間に、どのように役立つかがわかります。

ロボットがどのようなしくみで、うごいたり話したりしているかがわかります。

どこがすごいのか、ロボットのひみつがわかります。

「もっと知りたい！ はたらくロボット」では、ほかにもかつやくしているロボットたちをしょうかいします。

名前や大きさ、どのようなロボットなのか、ロボットの「ここがすごい！」ところがせつめいされています。

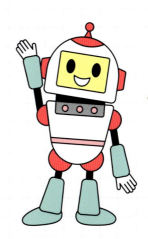

ぼくは、ロボタ。この本を案内するよ。さあ、病院ではたらく、ぼくのなかまたちを見にいこう！

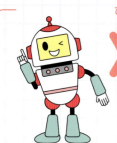

病院ではたらくロボットたち

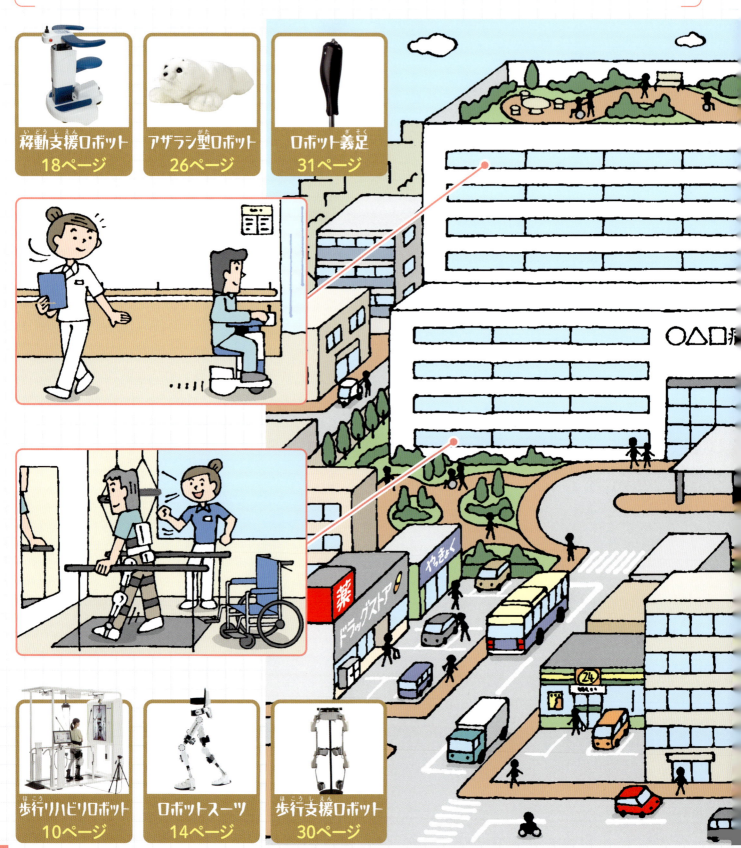

- 移動支援ロボット　18ページ
- アザラシ型ロボット　26ページ
- ロボット義足　31ページ
- 歩行リハビリロボット　10ページ
- ロボットスーツ　14ページ
- 歩行支援ロボット　30ページ

この本では、おもに病院ではたらくロボットたちをしょうかいします。
病院には、手術やリハビリの手つだい、案内など、多くのしごとがあります。
ロボットが、どのように人をたすけてくれているのか、見ていきましょう。

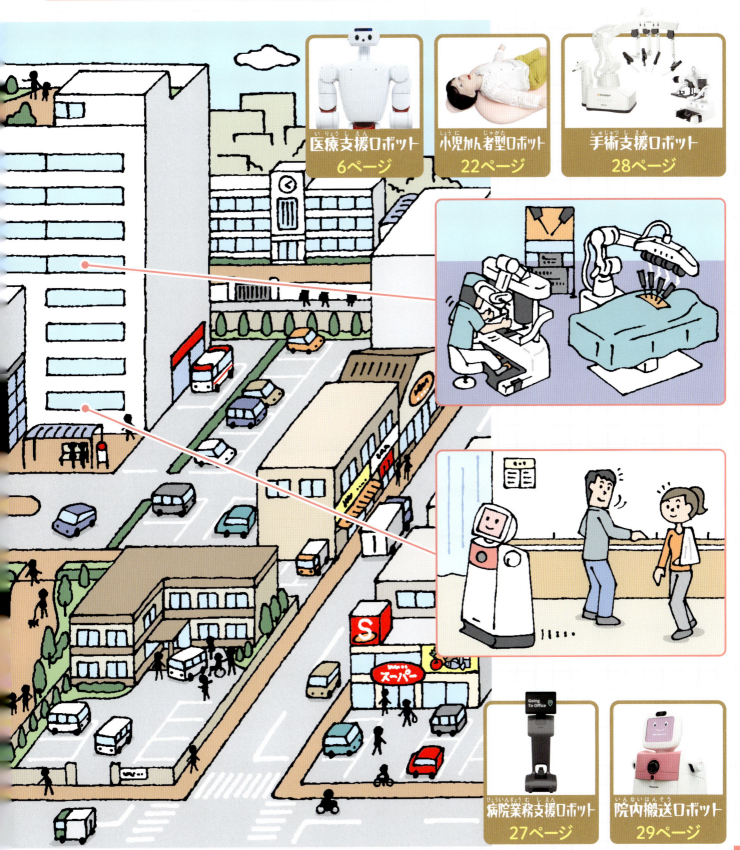

医療支援ロボット
6ページ

小児かん者型ロボット
22ページ

手術支援ロボット
28ページ

病院業務支援ロボット
27ページ

院内搬送ロボット
29ページ

病院のいろいろなしごとをまかせられる

医療支援ロボット

名前	アイレック（AIREC）
はば	66cm
奥行き	60cm
高さ	166cm（身長）
重さ	150kg（体重）

病院に来た人を出むかえて、案内してくれるよ

写真：早稲田大学 次世代ロボット研究機構、東京女子医科大学　協力：JSTムーンショット型研究開発事業「目標3」菅野重樹PJ

病院の中にはたくさんの人がいます。アイレックは、人とぶつかりそうになると、きけんをかんじて止まったり、よけたりできます。

アイレックは、「一人に一台一生よりそうスマートロボット」を目標につくられた、人型のロボットです。スマートフォンのように、1台でいろいろなことができるロボットをめざしています。

将来は、病院で多くのしごとをたすける、医療支援ロボットとしてはたらけるように、今も研究がつづけられています。

案内をしたり、かん者さんと話して体調をたしかめたり、手術の手つだいをしたり、いろいろなしごとができると期待されています。

このロボットは、どうしてつくられたのでしょう？

このロボットは人によりそい、ともに生きるためにつくられました！

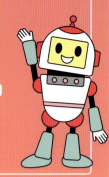

医者や看護師のこまりごと

かん者さんが多いときは、わたしたち医者も看護師たちも、いそがしくて目が回りそうです。

しごとでいそがしい家庭のこまりごと

手分けをして家事をしています。いそがしいので、料理やせんたくができるロボットがほしいです。

病院で医者や看護師をたすけ、家でも家事をしてくれるようになる

アイレックがめざすのは、人によりそって、ともに生きるロボットです。病院のしごとだけでなく、家事もできるロボットにするため、たくさんの人が研究に参加しています。

このロボットがあれば、病院のいろいろなしごとをまかせることができて、毎日の家事の手だすけもしてもらえるようになると考えられています。

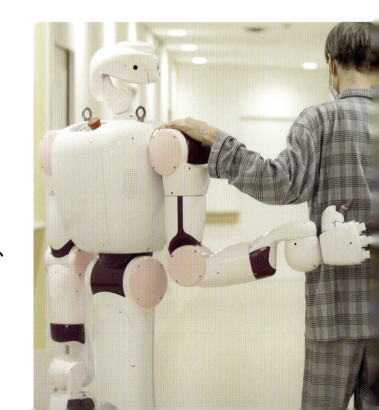

教えて！ロボットのしくみとひみつ

しくみ

スピーカー
声を出すところ。外からは見えませんが、頭の中にあります。

3Dカメラ
色を見分けたり、ものの奥行きをはかったりします。

ステレオカメラ
人間の目と同じように、左右の2つのカメラで、自分とものとのきょりをはかります。

アーム
人間のうでの役目をするところ。1つのうでで8kg、両うでで20kgまでの重さのものをもち上げられます。

ハンド
人間の手の役目をするところ。人間と同じように、指をうごかし、ものをつかみます。

台車
4つの車輪がついていて、その場でぐるりと回ることができます。前と後ろにすすむだけでなく、そのまま横にもうごけます。

ひみつ1 医者や看護師をどのようにたすけるの？

アイレックは、かん者さんと手のひらを合わせるだけで、体温をはかったり、血圧や脈拍なども記録したりできます。医者が診察をする前に、体のようすがわかっているので、医者や看護師のしごとをへらすことができます。

ひみつ2 どんな検査ができるの？

アイレックは、超音波検査ができます。人に聞こえない「超音波」を出すハンドをつけ、かん者さんの体におしあてると、体の中がモニターにうつしだされます。映像を見ながら検査をして、診断することができます。

©東京女子医科大学

人間の体の模型をつかった実験に成功しました。

写真：早稲田大学 次世代ロボット研究機構、東京女子医科大学

足をうごかせない人の、歩く練習をたすける

歩行リハビリロボット

名前	ウェルウォーク
はば	120cm
奥行き	257cm
高さ	238cm
重さ	700kg

つらいリハビリを楽しくしてくれるロボットだよ

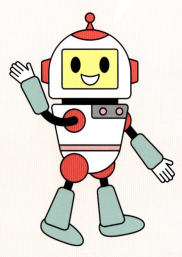

写真：トヨタ自動車

病気やけがをした人が、もとのように体をうごかせるように、体のうごかし方を練習することを「リハビリテーション」または「リハビリ」といいます。
ウェルウォークは、病気やけがによって、歩くことができなくなってしまった人のために、歩く練習の手だすけをしてくれるロボットです。
　ひとりで歩けない人が、リハビリをするときに、このロボットを足にとりつけると、ひざのまげのばしをたすけてくれます。

　　　　　　　　　　　このロボットは、どうして
　　　　　　　　　　　つくられたのでしょう？

うごかしづらくなった足に、ひざのまげのばしをたすける「ロボットあし」という機械をつけます。リハビリをする人が車いすにすわったままでも、かんたんにとりつけることができます。

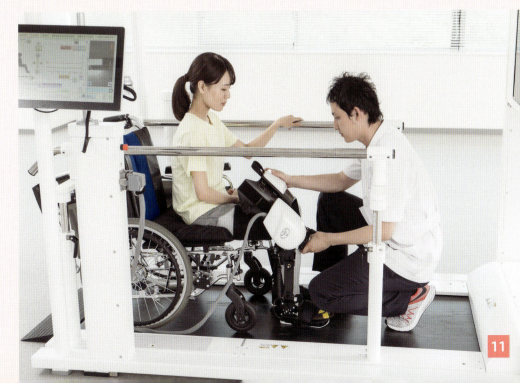

このロボットは歩く練習をする人をたすけるためにつくられました！

ひとりで歩けない人のこまりごと

リハビリをしないと、歩けるようにならないとはわかっていますが、つらくてやる気が出ません。

リハビリをたすける理学療法士のこまりごと

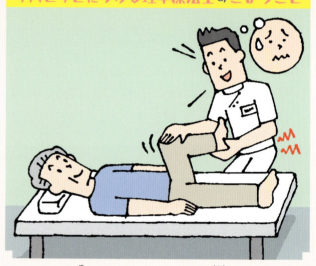

リハビリを手つだっていますが、力のいるしごとなので、けがをしないように気をつけています。

リハビリを楽しくして、たすける人のしごともへらせる

　リハビリは大切ですが、歩く練習をつづけるのはとてもたいへんです。リハビリにつきそって、体のうごかし方を教えてくれる理学療法士も、力しごとが多く、せなかやこしをけがすることがあります。

　このロボットがあれば、つかう人が自分の足のうごかし方をたしかめながら、楽しく練習できます。また、理学療法士のしごとをへらし、けがからもまもれます。

教えて！ロボットのしくみとひみつ

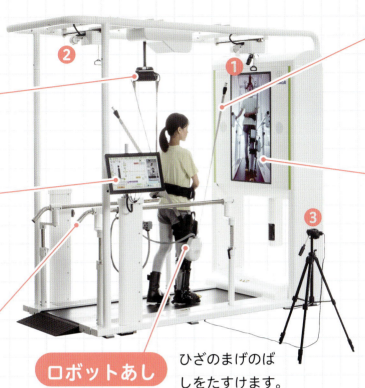

しくみ

ハーネス(体)
ころばないで安全に歩けるように、全身をささえます。

そうさパネル
どんな練習をするかをきめたり、練習のようすをその場でうつしたりできます。

手すり
つかう人の体に合わせて、高さやはばがかえられます。

ロボットあし
ひざのまげのばしをたすけます。

ハーネス(足)
うごかしづらくなった足をもち上げ、前に出しやすくして、正しい足のうごかし方をたすけます。

正面モニター
正しく歩けているか、映像をうつして、つかっている人につたえます。

カメラ(❶❷❸)
3か所からさつえいして、歩くときの体のうごきをしらべます。

ひみつ1　どのように歩く練習をするの？

つかう人の体の大きさや、病気やけがのようすに合わせて、ロボットが歩く練習の手だすけをしてくれます。足を前に出すときに、目標になる線や足あとを出すことで、しぜんで正しい歩き方を教えてくれます。

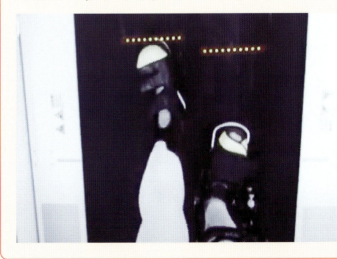

ひみつ2　どうして楽しくリハビリができるの？

歩く姿勢を点数であらわしてくれる「姿勢ゲーム」や、歩くきょりを目標にする「東海道五十三次ゲーム」ができます。つかう人の「ゲームをクリアしたい」という気もちが、練習を長つづきさせてくれるのです。

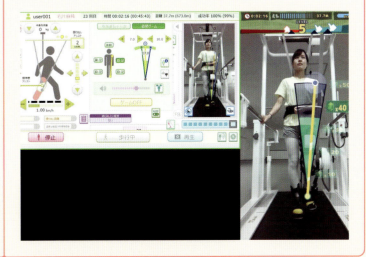

※東海道五十三次…東京（昔の江戸）から京都までの大事な道を東海道といい、53の宿場（旅人がとまる宿などがあるところ）がありました。

体につけて、うごこうとする力をたすける
ロボットスーツ

名前	HAL
	(「HAL®」下肢タイプ)
はば	48〜56cm
奥行き	43〜49cm
高さ	128〜140cm
重さ	14kg

正しいうごきを
くりかえす練習が
大切なんだって

足につけて運動をすると、うごきをたすけ、歩きやすくなります。つかう人の脳からおくられてきた命令を読みとって、自分が足を出したいと思ったときに、力を出してうごかしてくれます。

　HALは、手や足など、体の一部をうごかせない人の手だすけをするロボットです。人間は体をうごかそうとするとき、脳から命令を出して、それが神経を通り、手足などのうごかしたいところの筋肉につたわってうごかせるようになります。しかし、病気やけがをすると、この脳からの命令がうまくつたわらなくなることがあります。
　HALをつけると、脳からの命令を読みとって、思った通りにうごかせるようにたすけてくれるのです。

※神経…体じゅうに、あみの目のようにはりめぐらされていて、脳からの命令を手足などの体のほかの部分につたえています。

このロボットは、どうしてつくられたのでしょう？

写真：サイバーダイン

このロボットは体がうごかなくなった人の力をとりもどすためにつくられました！

足をけがした人のこまりごと

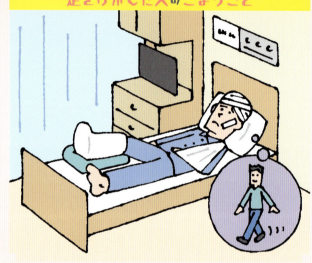

交通じこで右足にひどいけがをしました。じこの前と同じように歩けるのか、とても不安です。

お年よりのこまりごと

年をとって、つえや手すりがないと歩けなくなりました。また、わかいころのように歩きたいです。

「うごきたい」という思いを体につたえ、「うごいた」というよろこびをかんじさせてくれる

　スポーツの練習をすると、体がうごきをおぼえます。同じように、病気やけがで体がうごかせなくなった人も、HALのたすけで体が「うごいた」とかんじると、ぎゃくに体から脳へ、うごかせたことがつたわります。

　このロボットがあれば、脳と手足などの体のほかの部分とのやりとりがくりかえされて、神経のつながりがよくなり、ロボットをはずしても体をうごかせるようになる人がいます。

教えて！ロボットのしくみとひみつ

しくみ

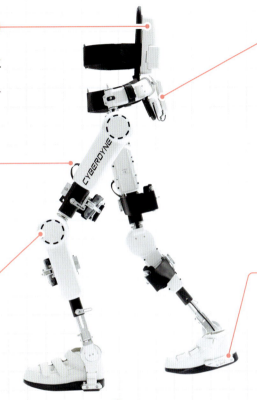

コンピューター
つかうたびに、かん者とHAL（ハル）からあつめられた、体の情報を記録します。

生体電位センサー
つかう人が体をうごかしたいと思ったとき、脳からおくられる、命令を読みとります。

パワーユニット
コントロールパッドからうけとった力かげんを、こしやひざなどにつたえ、足をうごかします。

コントロールパッド
つかう人のようすに合わせ、どのくらいの力を出せばいいかを、パワーユニットにつたえます。

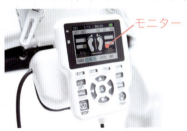

モニター

重心センサー
モニターに重心のかかり方をうつし、歩くときの正しい姿勢を教え、手だすけのタイミングをコンピューターにつたえます。

ひみつ1 足だけにしかつけられないの？

HAL（ハル）は、足全体につけて歩けるようにするだけではありません。肩、ひじやひざ、手首や足首のように、関節につけるものや、こしにつけるものがあります。関節につけるものは、ベッドでねたままでも練習ができます。

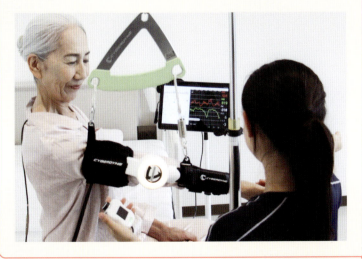

ひみつ2 体をうごかせる人もつかえるの？

こしにつけるHAL（ハル）は、うごけない人をたすける看護師や理学療法士、ヘルパーの人たちもつかっています。つけると、こしにかかる力をへらし、人の体をもち上げたり、ささえたりと、力しごとが安全にできるようになります。

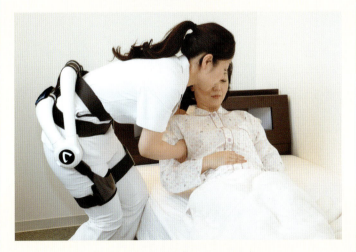

※理学療法士…病気やけがをした人に、体のうごかし方を教える人。ヘルパー…お年よりや障がいのある人の生活をたすける人。

17

　ケイプは、病気やけがのため、ひとりでは歩けない人やお年よりが、車いすのようにのってつかえる、移動支援ロボットです。
　車いすと大きくちがうところは、人におしてもらわなくても、つかう人が自分でそうさをしてうごかせるところです。また、ベッドやトイレの便座の高さに合わせて、すわる場所を上下にうごかし、体の向きをかえずにのりうつることができます。
　ケイプは、つかう人が自分の力だけで、安全にのりうつれて、ひとりで移動することができるロボットなのです。

このロボットは、どうしてつくられたのでしょう❓

　ケイプは、その場でぐるりと回ることができるので、広めにつくられたトイレなら、ひとりで出入りすることができます。

19

このロボットは歩けない人の移動をたすけるためにつくられました！

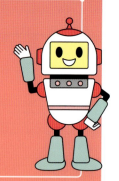

歩くことができない人のこまりごと

足をけがしたので、車いすをつかっていますが、ベッドやトイレで、のりうつるのがたいへんです。

看護師のこまりごと

歩けない人を車いすにのせるとき、体をささえて向きをかえますが、こしがいたくてこまっています。

ひとりで歩けない人も、手つだう人も楽になる

歩けない人を、ベッドから車いすにのりうつらせるのは、たいへんな作業です。ひとりで移動しようとしてころんでしまったり、のりうつりを手つだう人がこしをけがしたりすることもあります。

このロボットがあれば、ロボットをつかう人は体の向きをかえずに後ろからのれるし、手つだう人も体をささえなくていいので、安全で楽に移動ができます。

教えて！ロボットのしくみとひみつ

しくみ

ジョイスティック
すすみたい方向に、たおすだけで移動できます。その場でぐるりと回ることもできます。

超音波センサー
人には聞こえない「超音波」を当てて、はねかえってきた時間を計算し、まわりのものとのきょりをはかります。

手すり
のりうつるときや、移動するときに、つかまります。

そうさパネル
シートの高さや、うごかすスピードをかえたり、クラクションをならしたりできます。

シート
移動するときにすわるところ。ベッドや便座の高さに合わせて、安全にのりうつれます。

車輪とキャスター
大きな車輪が2つ、小さなキャスターが3つついています。車輪は、左右でべつべつにうごかすことができます。

ひみつ1　シートの高さをかえられると何がべんりなの？

いちばん低くてゆかから43cm、いちばん高くて73cmまで、シートの高さをかえられます。のりうつりが楽になるだけでなく、高い場所にあるボタンをおすこともできるし、低い場所にあるものにも手がとどきます。

ひみつ2　うごかし方はむずかしくないの？

だれでもかんたんにうごかせます。ジョイスティックを前にたおすと前にすすみ、ななめ右やななめ左にたおすと右や左にまがります。そうさできない人も、移動を手つだう人がいれば、スマートフォンをつかってうごかせます。

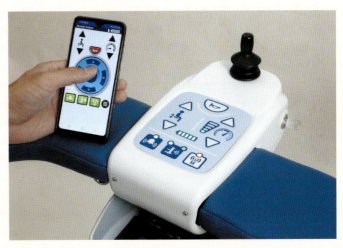

子どもの診察や治療の練習ができる
小児かん者型ロボット

名前	ペディアロイド (Pedia-Roid)
高さ	110cm（身長）
重さ	23kg（体重）

※はばと奥行きは、発表されていません。

ペディアロイドは、診察をいやがってあばれたときや、急に体調がわるくなってぐったりしたときの子どものように体をうごかすことができます。

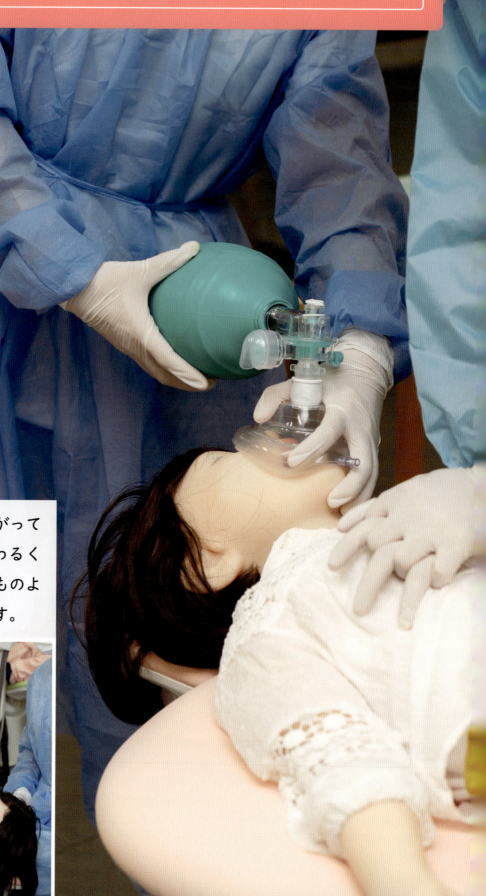

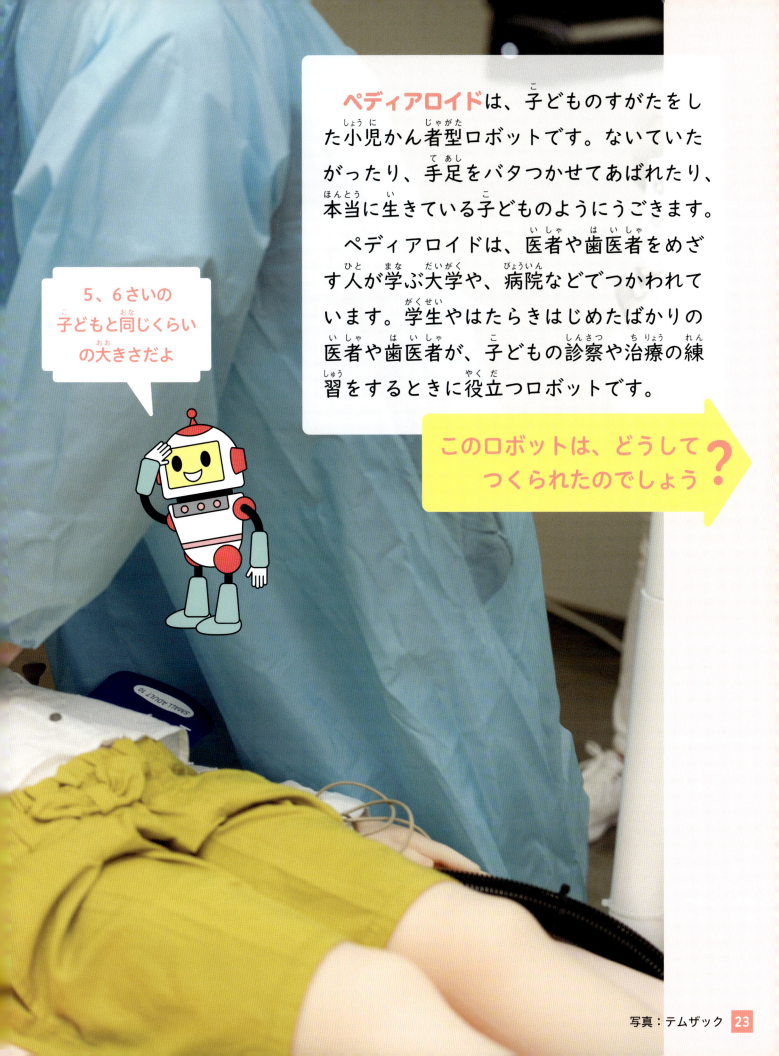

ペディアロイドは、子どものすがたをした小児かん者型ロボットです。ないていたがったり、手足をバタつかせてあばれたり、本当に生きている子どものようにうごきます。

ペディアロイドは、医者や歯医者をめざす人が学ぶ大学や、病院などでつかわれています。学生やはたらきはじめたばかりの医者や歯医者が、子どもの診察や治療の練習をするときに役立つロボットです。

5、6さいの子どもと同じくらいの大きさだよ

このロボットは、どうしてつくられたのでしょう？

写真：テムザック

このロボットは子どもの診察や治療の練習のためにつくられました！

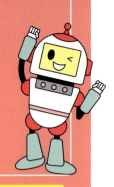

学生を教える医者のこまりごと

子どもの診察のようすを、学生に見学させていますが、つたえきれなくてこまっています。

歯科大学に通う学生のこまりごと

実習のとき、虫歯の治療をする子どもを見て、「こんなにあばれるのか」と不安になりました。

医者や歯医者をめざす人たちが、子どもの診察や治療を学べる

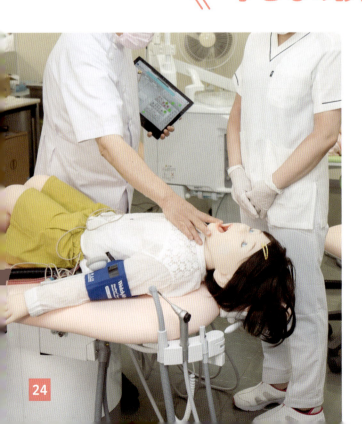

　子どもの診察や治療は、細い血管に注射をしたり、急に体調がかわったりするのでたいへんです。しかし、医者や歯医者をめざす人たちが、子どもの診察や治療を学べる回数は多くありません。

　このロボットがあれば、さまざまな病気やけがの診察や治療を練習して、医者や歯医者として、どうすればいいかを身につけることができます。

教えて！ロボットのしくみとひみつ

しくみ

口 いたがって声を出してないたり、くしゃみやせきをしたりします。また、舌もうごかすことができます。

全身 もぞもぞとうごいたり、手足をばたばたさせてあばれたり、力が入らずにぐったりしたりします。

頭と顔 頭を上下左右にうごかし、顔もいやがる表情をします。顔色も赤くなったり、青白くなったりします。

目 まばたきをしたり、ひとみの真ん中にある、黒目が大きくなったり、小さくなったりします。

むね 息をするのに合わせて、上下にうごきます。心臓や肺の音もします。

ひみつ1 診察の練習ってどんなことができるの？

いたがってあばれる子どもを、どうおさえればいいのかといった、体験してみないとわからないことが練習できます。ほかにも、手に注射して血をとったり、血圧をはかったり、医者にとって大切な診察の練習ができます。

注射の練習をするようす。

血圧をはかる練習をするようす。

ひみつ2 歯の治療は、どのように練習するの？

ペディアロイドの歯は、本当にけずることができます。1本ずつとりかえられるので、くりかえし練習ができます。また、いくつかのことばを話せるので、ペディアロイドの話を聞いて注意しながら、治療の練習ができます。

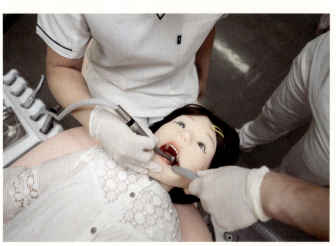

もっと知りたい！ はたらくロボット

きずついた人を元気にしてくれる
アザラシ型ロボット

名前	パロ（PARO）
はば	25cm
長さ	57cm
高さ	21cm
重さ	2.55kg

パロは、タテゴトアザラシの赤ちゃんの形をしたロボットです。どうぶつが人をいやして元気にしてくれるように、パロも人の心にはたらきかけます。これは、薬をつかわない「セラピー」という、治療の方法です。病院だけでなく、多くのお年よりがくらす老人ホームでも利用されています。

ここがすごい！

パロは、災害や戦争できずついた人たちの心にもよりそいます。下の写真は、ロシアとの戦争によって、ポーランドににげてきたウクライナの子どもです。多くの子どもたちが、パロとふれあううちに、笑顔になったり、夜ねむれるようになったりしました。

写真：国立研究開発法人産業技術総合研究所

病院のたくさんのしごとをする
病院業務支援ロボット

テミは、病院のいろいろなしごとを手つだう、病院業務支援ロボットです。人やものをよけながら自分でうごいて、病院に来た人を案内したり、薬をはこんだりします。また、かん者さんは、はなれた場所にいる医者とテミで話しながら、診察をうけることもできます。

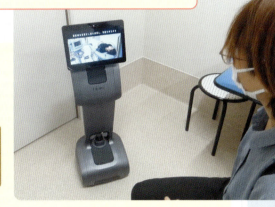

ここがすごい！

医者や看護師のかわりに、動画をつかって、治療や検査についてせつめいができます。テミは、自分で学習してかしこくなっていくAIが組みこまれています。人と会話もできるので、わからないところがあれば、質問すると答えてくれます。

名前	テミ（temi V3）
はば	35cm
奥行き	45cm
高さ	100cm
重さ	12kg

モニター

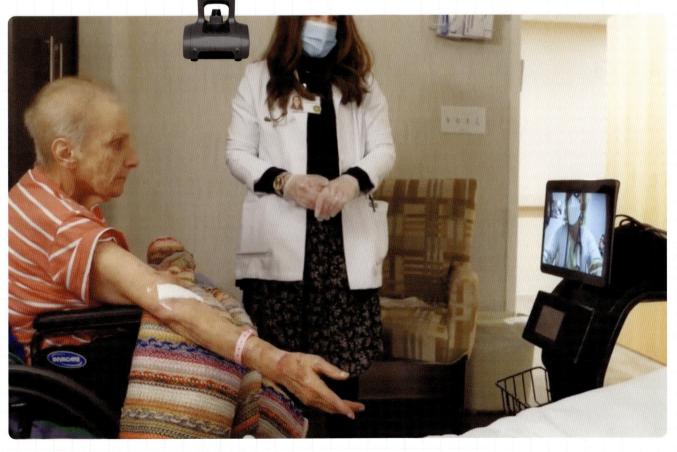

写真：株式会社 hapi-robo st

医者がおこなう手術を手だすけする

手術支援ロボット

　ヒノトリは、手術をする医者を手つだう、手術支援ロボットです。かん者さんの体に小さなあなをあけ、4本のアーム（うで）の先にとりつけられた手術の器具や、体の中をうつす「内視鏡」というカメラを入れて手術をします。医者がコントローラーでカメラの向きをかえて、見たい部分を大きくうつしながら手術ができます。

ここがすごい！

　ヒノトリは、人の手で手術をするように、細かくアームをうごかすことができます。また、体を大きく切って手術をするより、出血も少ないので、かん者さんのきずのなおりが早くなります。

名前 ヒノトリ
（手術支援ロボットhinotori）

※ロボットの大きさは、発表されていません。

アームをうごかすそうち

アーム

医者は、はなれた場所で、アームをうごかすコントローラーをそうさして手術をします。

写真：メディカロイド

もっと知りたい！ はたらくロボット

病院の中を安全にすすんで、ものをはこぶ
院内搬送ロボット

名前	ホスピー（HOSPI）
はば	63cm
奥行き	70.5cm
高さ	139cm
重さ	170kg

タッチパネル
収納庫

ここがすごい！

薬だけでなく、検査のためにかん者さんからとった、血や尿などの検体もはこべます。しずかにはこばなくてはならない薬や検体をゆらさずにはこび、重さ20kgのものをつんでも、すすむことができます。

ホスピーは、病院内の地図の情報をおぼえ、おもに薬を自動ではこぶ、院内搬送ロボットです。タッチパネルをつかって、かんたんに行き先をつたえられます。また、人が近づくと、センサーで気づいて安全に止まったり、よけたりできます。エレベーターも自動でのりおりできるので、ほかの階にも薬をはこべます。

写真：パナソニック プロダクションエンジニアリング

29

歩く練習を手つだってくれる
歩行支援ロボット

名前	クララ(curara)
はば	45cm
奥行き	27cm
高さ	78cm
重さ	2.9kg

クララは、歩く練習をたすけてくれる、歩行支援ロボットです。病気やけがをした人、年をとって歩きづらくなった人のためにつくられました。つかう人の歩くリズムに合わせてうごくので、まるで、クララにささえられているような気もちで歩くことができます。

ここがすごい！

練習も楽しくできそうだね

歩くとモーターがうごいて、ひざや足のつけ根にある関節のうごきをたすけます。また、つかう人が目標をきめると、どう練習すればいいか、計画を立ててくれます。練習のようすはスマートフォンに記録されて、後でなんどでもたしかめられます。

写真：アシストモーション

もっと知りたい！ はたらくロボット

足になって、人の移動をたすける
ロボット義足

病気やけがで、足をなくした人がつける人工の足を「義足」といいます。**バイオレッグ**は、義足をつかう人が、よりしぜんに歩けるようにつくられたロボット義足です。ふつうの義足とちがい、足をまげたりのばしたりするときに、モーターがうごいて歩行をたすけます。

ここがすごい！

バイオレッグは、足の細かなうごきをセンサーで1秒間に200回しらべ、モーターにつたえています。人の足のうごきに合わせて力を出すので、階段や坂を歩いたり、いすから立ち上がったりといった、さまざまな動作がしぜんにできます。

名前	バイオレッグ（Bio Leg®）
はば	11.1cm
奥行き	12.6cm
高さ	28.3cm
重さ	3kg

写真：バイオニックエム

監修

平沢 岳人
ひらさわ・がくひと

千葉大学大学院工学研究院教授。1964年生まれ。東京大学建築学科卒業、同大学院工学研究科修了、博士（工学）。建設省（当時）建築研究所第四研究部、仏建築科学技術センター（CSTB）客員研究員、仏国立情報学自動制御研究所（INRIA）招聘研究員を経て、2004年より千葉大学工学部助教授。建築ものづくりにロボットを応用する研究に従事。

国語指導

流田 賢一
ながれだ・けんいち

大阪市立堀川小学校教諭。1982年、大阪府出身。2005年、大阪教育大学教育学部卒業後、大阪市立西淡路小学校に教員として勤務する。2015年、国語科の授業づくり、社会で必要となる力の育成について研究したいという思いから、大阪教育大学連合教職大学院に進学。現在、大阪市立堀川小学校で、首席として他の教職員の指導にもあたっている。

協力企業・団体一覧（掲載順）

国立研究開発法人科学技術振興機構（JST）、学校法人早稲田大学、国立学校法人神戸大学、学校法人東京女子医科大学／トヨタ自動車株式会社／CYBERDYNE株式会社／株式会社アイザック／株式会社テムザック／国立研究開発法人産業技術総合研究所／株式会社hapi-robo st／株式会社メディカロイド／パナソニック プロダクションエンジニアリング株式会社／AssistMotion株式会社／BionicM株式会社

監修	平沢岳人
国語指導	流田賢一
装丁・本文デザイン	倉科明敏（T. デザイン室）
企画・編集	山岸都芳・渡部のり子（小峰書店） 川邊剛彦・古川貴恵・楠本和子・渡邊里紗（303BOOKS）
イラスト	バーヴ岩下

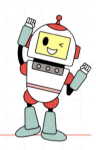

はたらくロボットずかん❺
病院ではたらくロボット

2025年4月6日　第1刷発行

発　行　者　小峰広一郎
発　行　所　株式会社小峰書店
　　　　　　〒162-0066 東京都新宿区市谷台町 4-15
　　　　　　TEL 03-3357-3521　　FAX 03-3357-1027
　　　　　　https://www.komineshoten.co.jp/
印刷・製本　TOPPANクロレ株式会社

乱丁・落丁本はお取り替えいたします。
本書の無断での複写（コピー）、上演、放送等の二次利用、翻案等は、著作権法上の例外を除き禁じられています。
本書の電子データ化などの無断複製は著作権法上の例外を除き禁じられています。代行業者等の第三者による本書の電子的複製も認められておりません。

© 2025 Komineshoten Printed in Japan
NDC548　31p　29×23cm
ISBN978-4-338-37105-6

ロボットをしょうかいしよう！

書き方のれい すきなロボットをえらんで、ロボットせつめい書をつくりましょう。

ロボットせつめい書　　2年 2組 名前 こみね みこ

自分がしょうかいしたいロボットをえらんで、□に✓を入れましょう。

☑ 6～25ページにのっているロボット　　□ 自分で考えたロボット

ロボットの名前	ロボットの絵
アイレック	

●どこで、どんなことをするロボットですか？

> びょういんで、多くのしごとをたすけてくれる、いりょうしえんロボットとしてはたらけるように、けんきゅうがつづけられているロボットです。

●だれのどんなこまりごとから、つくられましたか？

> いしゃやかんごしたちは、かんじゃさんが多くなると、目が回るほど、いそがしくてこまっています。

●どんなしくみやひみつがありましたか？

> かんじゃさんと手のひらを合わせると、体おんやけつあつ、みゃくはくなどがわかって、きろくすることもできます。

●このロボットがあれば、わたしたち人間に、どのように役立つと思いましたか？

> アイレックは、びょういんのいろいろなしごとができるので、いしゃやかんごしたちがたすかります。それだけでなく、人間といっしょにくらして、りょうりやせんたくなどの家のしごともできるようになったら、べんりになると思いました。

- えらんだロボットの名前を書きましょう。
- ロボットがいる場所とできることを書きましょう。
- ロボットがつくられたきっかけを1つ書きましょう。
- えらんだロボットの絵をかきましょう。
- すごいと思ったしくみやひみつを1つ書きましょう。
- ロボットがどのようにかつやくし、わたしたちの役に立っているのかを書きましょう。

大阪市立堀川小学校教諭 流田賢一先生より

「ロボットせつめい書」に書かれた質問の答えを、本の中からさがします。クイズに答えるように、大事な言葉を見つけましょう。「だれのどんなこまりごとから、つくられましたか？」という質問の答えは、だれかの「こまりごと」が本の中に書かれているはずなので、さがしてみてください。なんども書くと、短い言葉でせつめいできるようになります。自分で考えたロボットのせつめいにも、つかってみてくださいね。

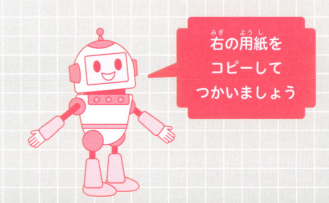

右の用紙をコピーしてつかいましょう